IL MIO GRANDE
ALFABETIERE

Progetto grafico copertina: Tommaso Nannucci
Impaginazione: Giunti Industrie Grafiche, Prato

www.giunti.it

© 2002 Giunti Editore S.p.A., Firenze - Milano
Seconda edizione: gennaio 2002

Ristampa				Anno			
7	6	5	4	2008	2007	2006	2005

Stampato presso Giunti Industrie Grafiche S.p.A. – Stabilimento di Prato

IL MIO GRANDE ALFABETIERE

G GIUNTI Zerosei

IMPARO I COLORI

VIOLA		
ROSA		
GRIGIO		
MARRONE		
VERDE		
BIANCO		
AZZURRO		
ARANCIO		
NERO		
ROSSO		
GIALLO		

Aa Bb Dd Dd Hh Ee Ff Gg Hh Ii Jj Kk

ALBERO

albero

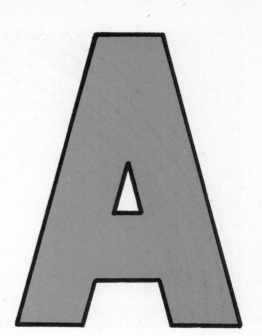

ALBERO   *albero*
ALBERO   *albero*

ARCOBALENO

arcobaleno

ASINO

asino

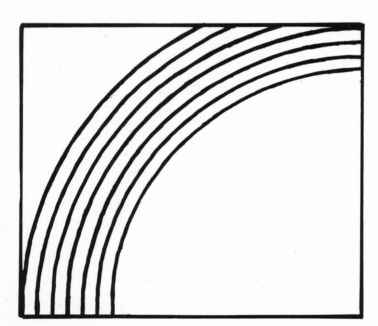

ARCOBALENO

A.R.C.O.B.A.L.Eno arcobaleno

arcobaleno

ASINO

A.S.I.N.O

asino

asino

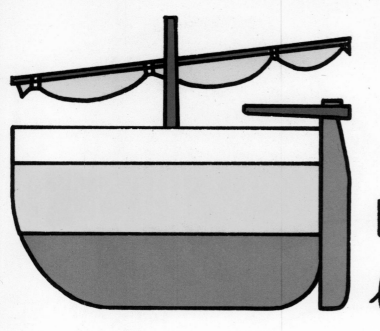

BARCA

barca

BARCA
B.ARCA

barca
bɾca

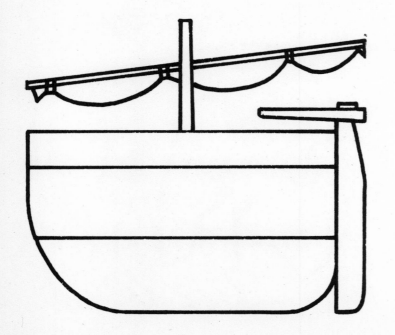

BOSCO

bosco

BISONTE

bisonte

BISONTE

B.ISONTE

bisonte

b.........

BOSCO   *bosco*

B.OSCO   *b........*

CASA

casa

CASA   casa

C..........   c..........

CAVALLO

cavallo

C

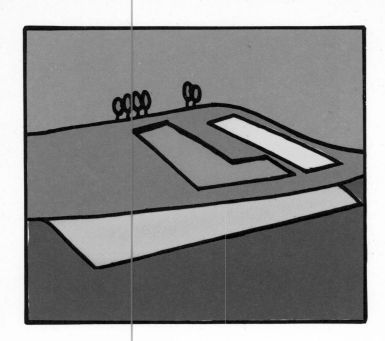

COLLINA

collina

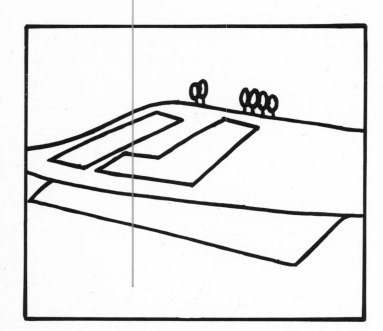

COLLINA   *collina*

C.............   *c..........*

CAVALLO

C...........

cavallo

c...........

DADO

dado

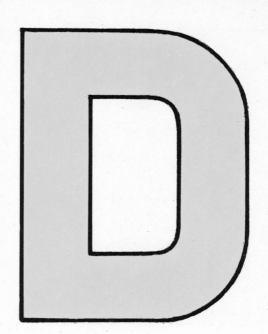

DADO

D.........

dado

d.........

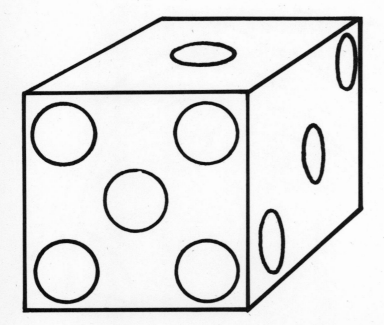

DESERTO

deserto

DELFINO

delfino

D

DESERTO   *deserto*

D............   d............

DELFINO

D............

delfino

d............

ELEFANTE

elefante

ELEFANTE   elefante

E...............   e...............

ELMO

elmo

EDERA

edera

E

ELMO

E............

elmo

e............

EDERA

E............

edera

e............

FOGLIA

foglia

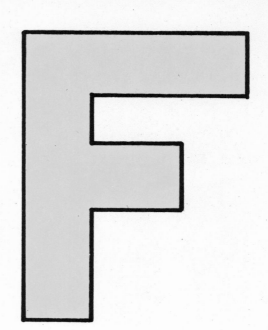

FOGLIA
E..............

foglia
f..............

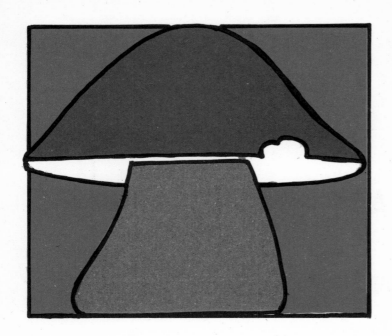

FUNGO

fungo

FOCA

foca

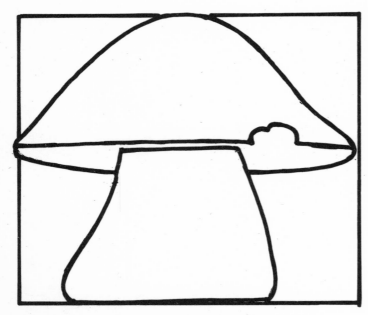

FUNGO

F.........

fungo

f.........

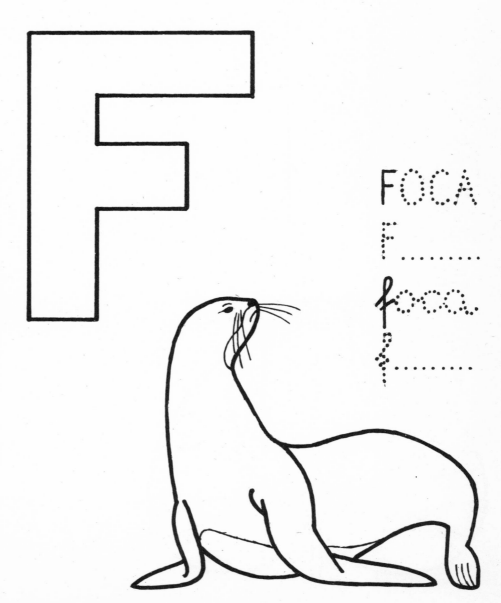

FOCA

F.........

foca

f.........

GATTO

gatto

GATTO   gatto

G........   g........

G   g

𝒢   g

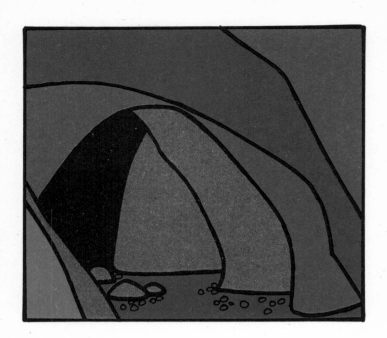

GROTTA

grotta

GIRASOLE

girasole

G

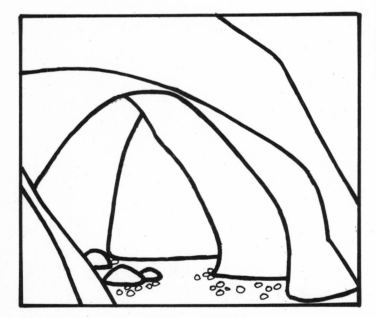

GROTTA   grotta

G............. g.............

GIRASOLE

G.............

girasole

g.............

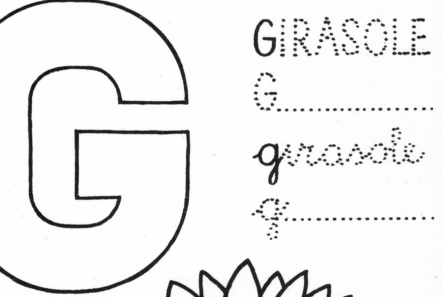

HOTEL

hotel

HOTEL

H..............

hotel

h..............

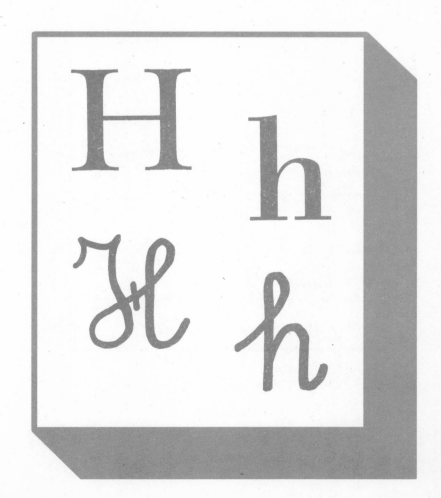

HANGAR

hangar

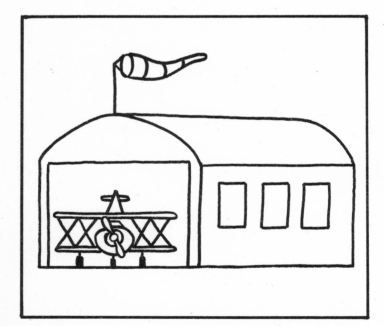

HANGAR

H............

hangar

h............

HOSTESS

hostess

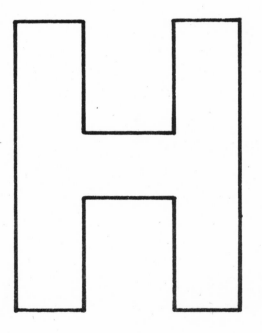

HOSTESS

H............

hostess

h............

IPPOPOTAMO

ippopotamo

IPPOPOTAMO *ippopotamo*

i.............. i..............

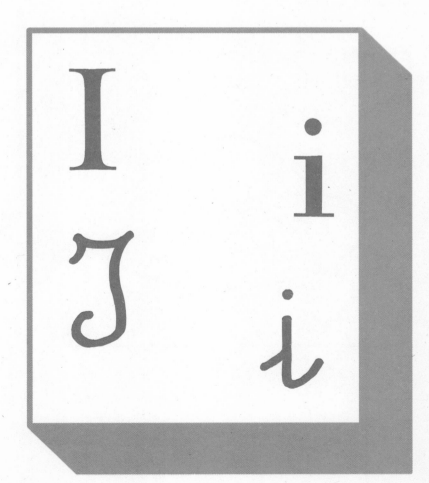

I i

 J i

ISOLA

isola

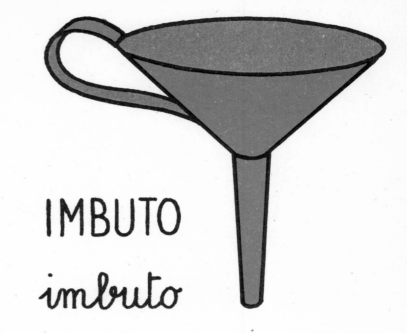

IMBUTO

imbuto

I

ISOLA   *isola*

I............   i............

IMBUTO

I............

imbuto

i............

LEONE

leone

LEONE

L.........

leone

l.........

LAGO

lago

LUNA

luna

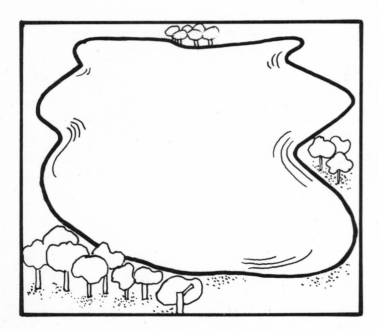

LAGO

L......

lago

l......

L

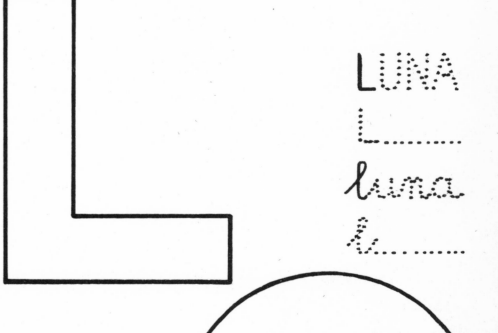

LUNA

L......

luna

l......

MELA

mela

MELA   *mela*

M.........   m.........

MONTE

monte

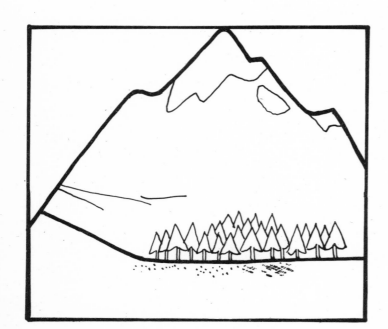

MONTE monte

M......... m.......

MUCCA

mucca

MUCCA

M.........

mucca

m.........

M

NAVE

nave

NAVE

N........

nave

n........

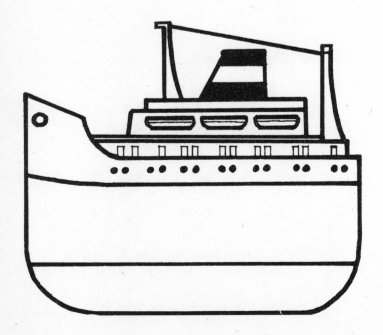

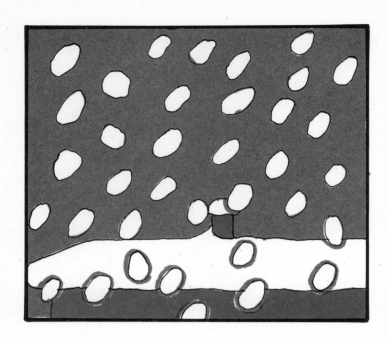

NEVER

neve

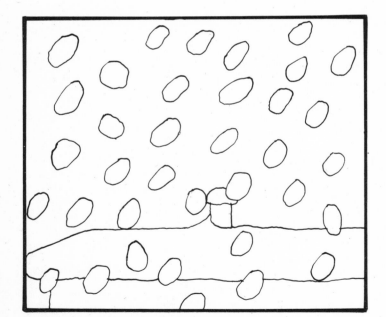

NEVE
N........

neve
n........

NIBBIO

nibbio

N

NIBBIO
N........

nibbio
n........

ORSO

orso

ORSO   *orso*

O......   *o*......

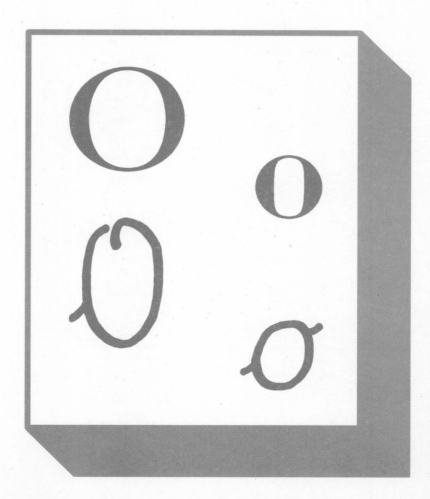

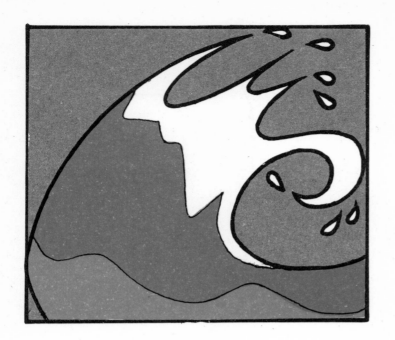

OROLOGIO

orologio

ONDA

onda

O

OROLOGIO

orologio

O

o..............

orologio

o..............

ONDA

O.......

onda

o.......

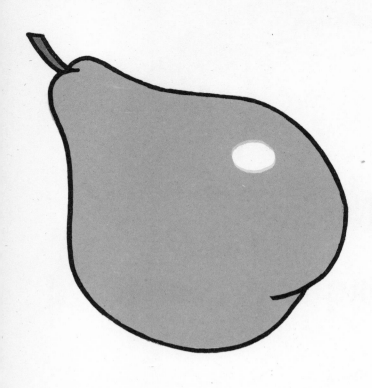

PERA

pera

PERA

P...........

pera

p..........

PRATO

prato

PINGUINO

pinguino

P

PRATO

P..........

prato

P..........

PINGUINO

P..........

pinguino

P..........

QUADRO

quadro

QUADRO
Q.............

quadro
q..............

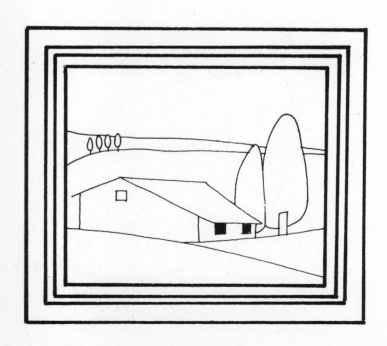

QUERCIA

quercia

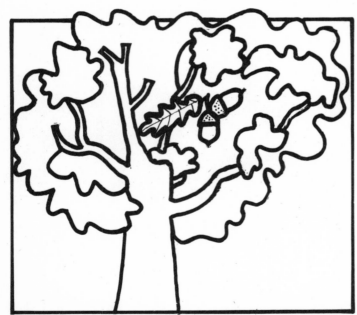

QUERCIA   quercia
Q..........   q..........

QUAGLIA

quaglia

Q

QUAGLIA
Q..........

quaglia
q..........

RINOCERONTE

rinoceronte

RINOCERONTE *rinoceronte*

R.............. *r*..............

RIVA

riva

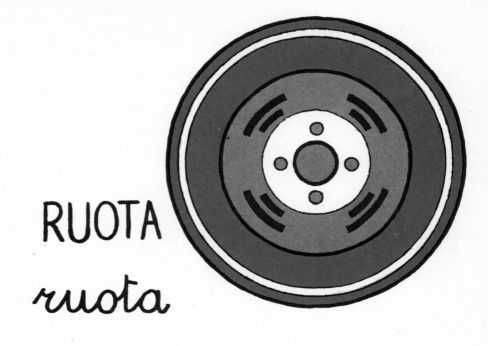

RUOTA

ruota

R

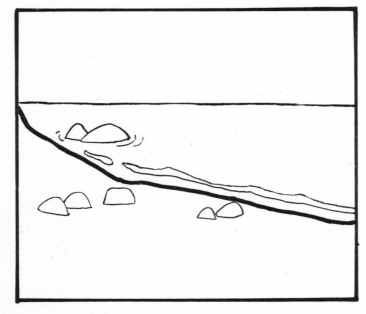

RIVA

R......

riva

r......

RUOTA

R..........

ruota

r..........

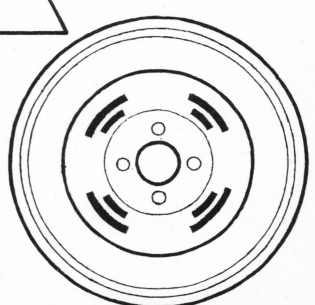

SEDIA

sedia

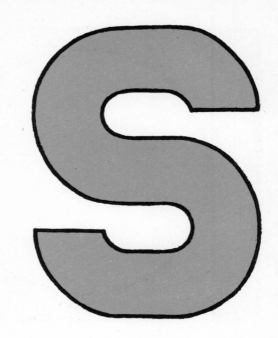

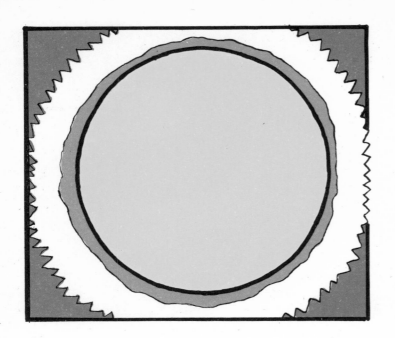

SERPENTE

serpente

SOLE

sole

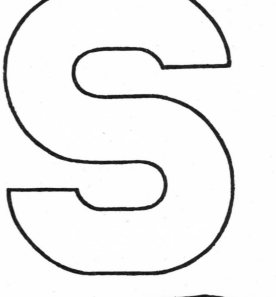

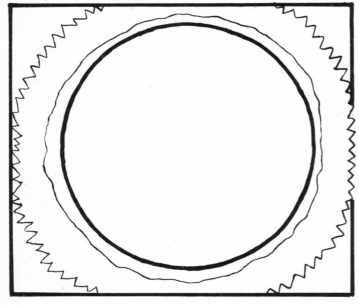

SOLE

S......

sole

s.......

SERPENTE

S............

serpente

s............

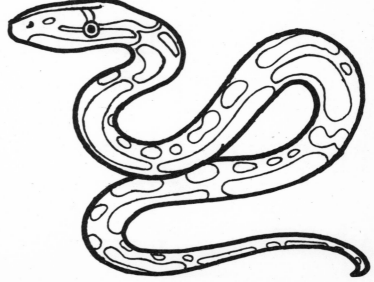

TAVOLO

tavolo

TAVOLO   *tavolo*

T.............   *t.............*

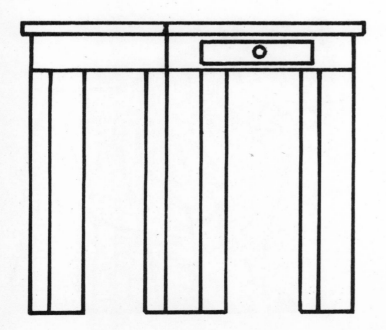

TIGRE

tigre

TRAMONTO

tramonto

T

TRAMONTO *tramonto*

T............. *t*.............

TIGRE

T.........

tigre

t.........

UVA

uva

UVA   *uva*

U....   *u.......*

URAGANO

uragano

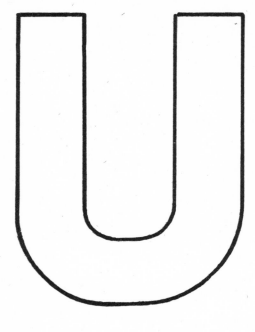

URAGANO uragano

U............ u............

USIGNOLO

usignolo

USIGNOLO

U............

usignolo

u............

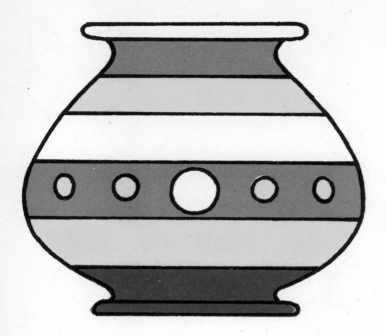

VASO

vaso

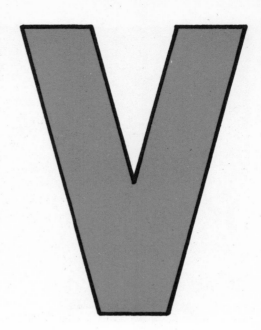

VASO

V........

vaso

v........

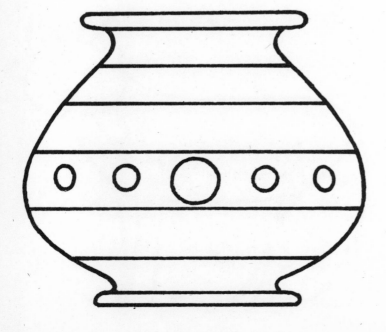

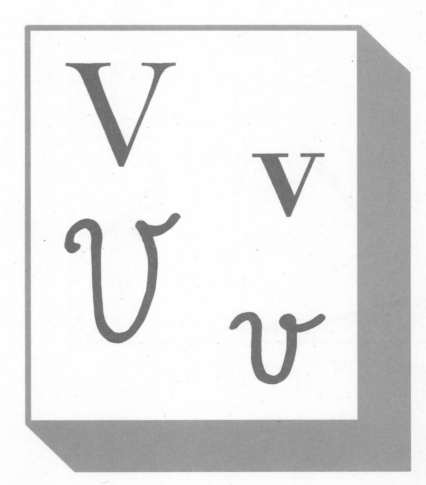

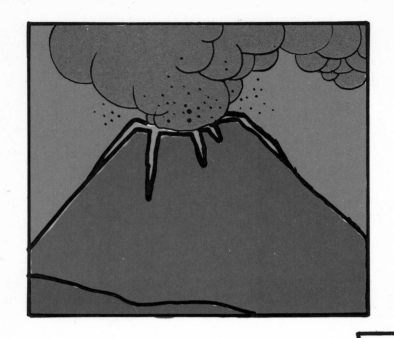

VULCANO

vulcano

V

VOLPE

volpe

VOLPE   *volpe*

V...............   *v*...............

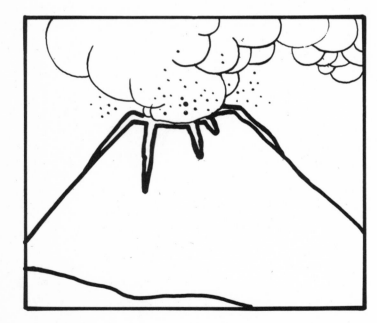

VULCANO   *vulcano*

V...............   *v*...............

ZEBRA

zebra

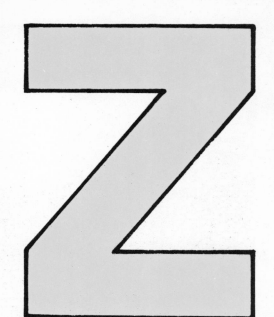

ZEBRA   zebra

Z.........   z.........

ZOLLA

zolla

ZOLLA   zolla

Z............   z............

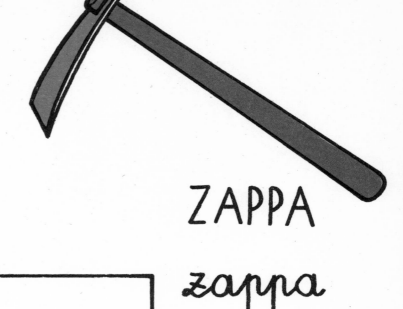

ZAPPA

zappa

ZAPPA

Z............

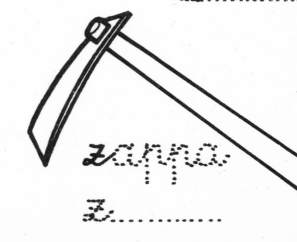

zappa

z............

CHE

FOCHE

*fo*che

FOCHE   *foche*

F...........   *f*...........

TASCHE

T...........

tasche

t...........

TASCHE

*tas*che

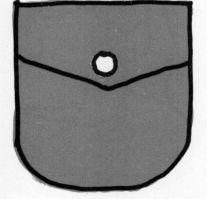
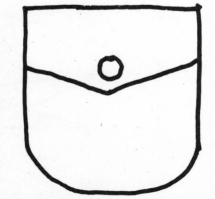

CHE

che

LE FOCHE
CON LE TASCHE

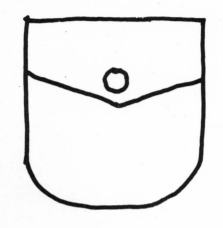

CHE

LE FOCHE CON LE TASCHE

CHIESA
chiesa

CHIESA
C............

chiesa
c............

CHIAVE
chiave

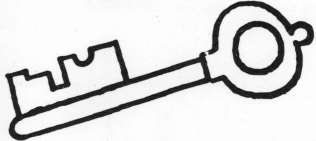

CHI
chi

_____

CHIAVE *chiave*
C............ *c............*

LA CHIAVE

DELLA CHIESA

CHI

LA CHIAVE

DELLA CHIESA

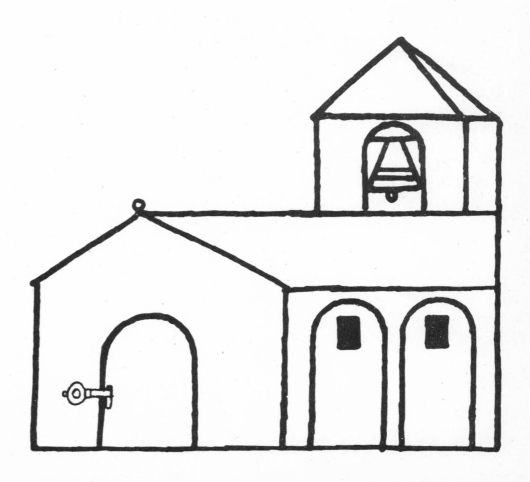

GHE

GHE**PARDO**
*ghe*pardo

GHE**PARDO**
G.................

ghepardo
q................

GHE**TTE**
ghette

GHE**TTE**
G.................
ghette
q................

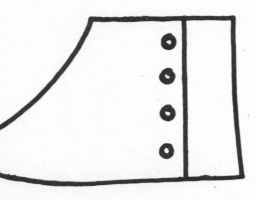

GHE
ghe

_____

IL GHEPARDO
CON LE GHETTE

GHE

IL GHEPARDO
CON LE GHETTE

GHI

GHIRO
ghiro

GHIRO
G.............   *ghiro*
G.............   g.............

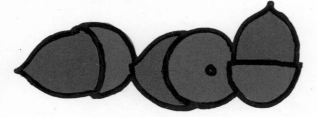

GHIANDE
ghiande

GHIANDE
G.............   *ghiande*
G.............   g.............

GHI
ghi

_____

IL GHIRO
CON LE GHIANDE

GHI

IL GHIRO CON LE GHIANDE

GLI

CONIGLIO

coniglio

CONIGLIO
C.................

coniglio
c.................

MAGLIA

maglia

MAGLIA
M.................

maglia
m.................

GLI gli
gli

IL CONIGLIO
CON LA
MAGLIA

GLI

IL CONIGLIO
CON LA
MAGLIA

GNOMO

GNOMO   gnomo

G ....   g ....

GNOMO   gnomo

LEGNA   legna

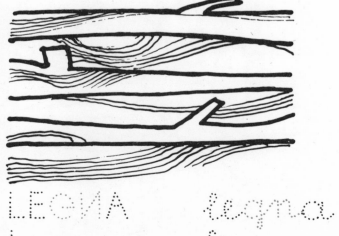

LEGNA   legna

L ....   l ....

GN

GN
gn
gn
gn

LO GNOMO
SULLA
LEGNA

GN

LO GNOMO
SULLA
LEGNA

SCARPE

scarpe

SCA

SCARPE

S...........

scarpe

s...........

SCO

SCOIATTOLO

scoiattolo

SCOIATTOLO *scoiattolo*

S.............. *s...............*

SCA

SCO

_ _ _ _ _ _ _ _ _ _ _

SCA

LO SCOIATTOLO CON LE SCARPE

SCO

LO SCOIATTOLO CON LE SCARPE

SCE**RIFFO**

sceriffo

SCE

SCE**RIFFO**
S.............

sceriffo
s...............

SCI

SCI

sci

SCI
S....

sci
s....

SCE

sce

SCI

sci

LO SCERIFFO
SUGLI SCI

SCE

SCI

LO SCERIFFO
SUGLI SCI

SCIMMIA

scimmia

SCI

SCIMMIA

S............

scimmia

s............

SCIARPA

sciarpa

SCI

sci

SCIARPA

S............

sciarpa

s............

LA SCIMMIA
CON LA SCI ARPA

SCI

LA SCIMMIA
CON LA SCI ARPA

SCRITTOIO

scrittoio

SCURE

scure

SCU

SCR

SCURE

s...........

scure

o...........

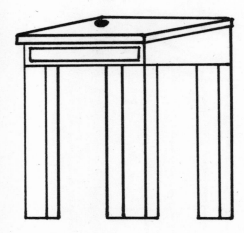

SCRITTOIO

s...........

scrittoio

o...........

SCU

scu

SCR

scr

SCU

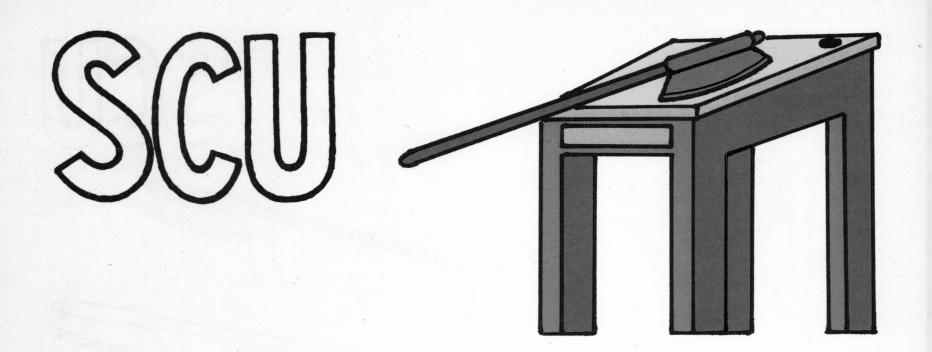

LA SCURE SULLO SCRITTOIO

SCR

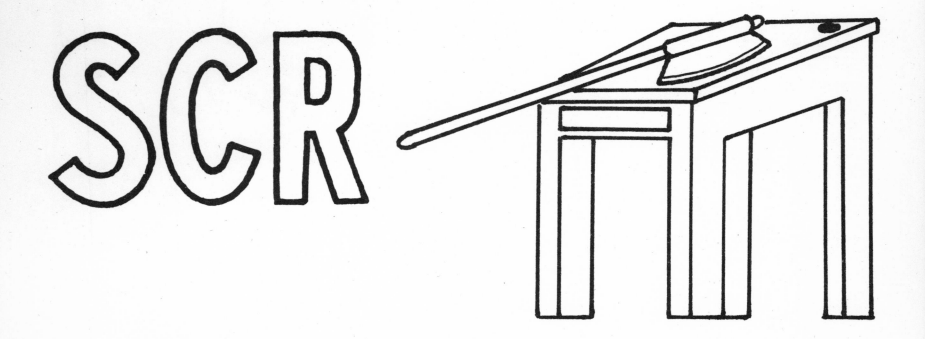

LA SCURE SULLO SCRITTOIO

NUMERI

1 UNO

1 UNO
1 U.........

2 DUE

2 DUE
2 D.........

3 TRE

3 TRE
3 T_____

4 QUATTRO

4 QUATTRO
4 Q_____

5 CINQUE

5 CINQUE
5 C..............

6 SEI

6 SEI
6 S..............

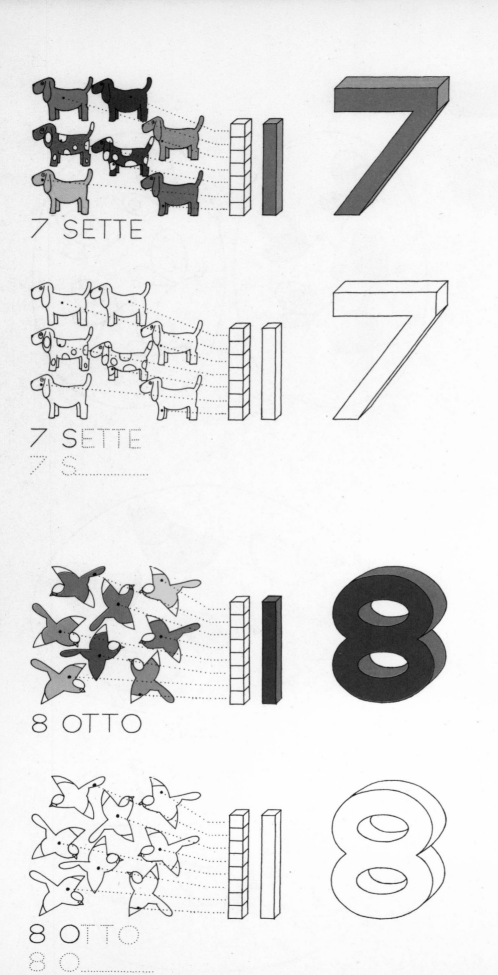

7 SETTE

7 SETTE
7 S_____

8 OTTO

8 OTTO
8 O_____

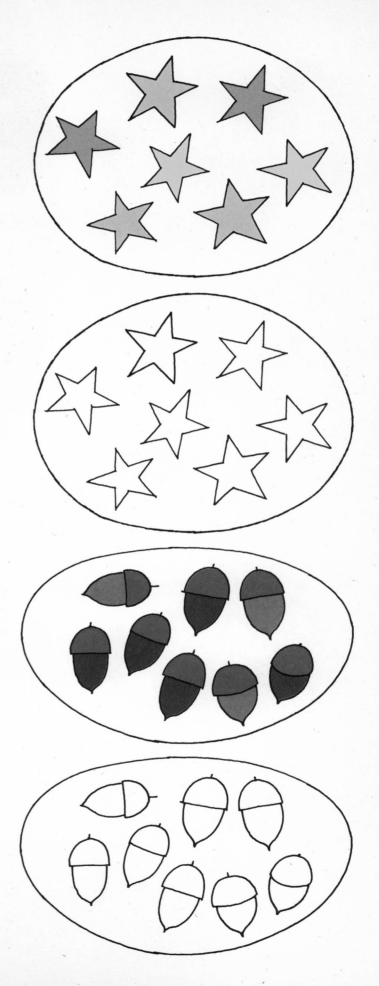

9 NOVE

9 NOVE
9 N_____

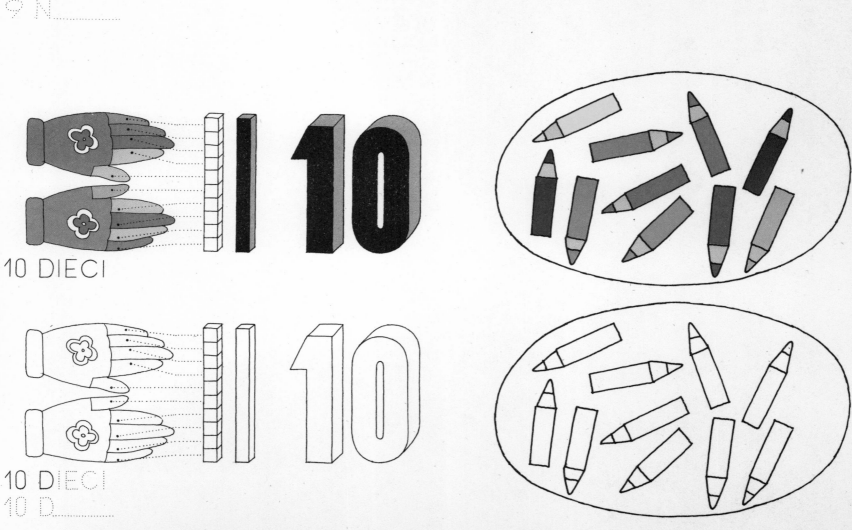

10 DIECI

10 DIECI
10 D_____